# LE PETIT PRINCE

Antoine de Saint-Exupéry

GW00391891

## Fiche de lecture

Rédigée par Pierre Weber, maitre en langues et littératures romanes

lePetitLittéraire.fr

Retrouvez tout notre catalogue sur www.lePetitLitteraire.fr
Avec lePetitLittéraire.fr, simplifiez-vous la lecture !

© Primento Éditions, 2011. Tous droits réservés.
4, rue Henri Lemaitre | 5000 Namur
www.primento.com
ISBN 978-2-8062-1327-3
Dépôt légal : D/2011/12.603/250

# SOMMAIRE

# LE PETIT PRINCE

*ANTOINE DE SAINT-EXUPÉRY*

Aviateur et écrivain français, Antoine de Saint-Exupéry est né en 1900 à Lyon et est mort en 1944 au large de la Corse, lors d'un vol de reconnaissance pour les forces alliées. Pionnier de l'aviation postale, explorateur infatigable, il publie entre les années vingt et trente ses premières œuvres littéraires, en grande partie autobiographiques (Courrier Sud, 1929 ; Vol de nuit, 1931).

Le Petit Prince (1945) et *Terre des hommes* (1939, Grand prix de l'Académie française) restent deux de ses plus grands succès littéraires.

• Né à Lyon en 1900, décédé en 1944 au large de la Corse
• Écrivain, poète et aviateur
• Quelques-unes de ses œuvres :
*Vol de nuit* (1931), roman
*Terre des hommes* (1939), roman
*Le Petit Prince* (1945), roman

## Un conte universel et profond

Conte pour enfants particulièrement célèbre, *Le Petit Prince* est l'histoire de la rencontre d'un aviateur échoué dans le désert du Sahara et d'un jeune enfant à l'apparence lunaire, qui s'avère être tout droit descendu des étoiles. Récit initiatique à la dimension symbolique forte, il a d'abord été publié en 1943 aux États-Unis, dans une traduction anglaise avec des illustrations de l'auteur, puis en France en 1945, après la mort de l'auteur.

Référence incontournable de la littérature française pour enfants, son succès dans les librairies ne se dément pas encore à l'heure actuelle.

# 1. RÉSUMÉ

## Chapitre I

Écrit à la première personne, *Le Petit Prince* s'ouvre sur quelques **souvenirs d'enfance du narrateur**, lorsqu'il aimait dessiner des serpents boas. Mais, quand il montre ses «chefs-d'œuvre aux grandes personnes» (p. 9), celles-ci lui conseillent de se consacrer à la «géographie, à l'histoire, au calcul et à la grammaire» (p. 10).

## Chapitre II

Après une enfance solitaire, le narrateur **devient aviateur**. C'est après un **atterrissage forcé dans le désert du Sahara** qu'il **rencontre le petit prince**, un enfant égaré au milieu du désert qui ne semble pourtant manquer de rien. Celui-ci le réveille après une première nuit d'attente, en lui demandant : «**S'il vous plait...dessine-moi un mouton**» (p. 11).

Surpris, l'aviateur s'exécute. Mais aucune de ses esquisses ne semble convenir au petit prince. De guerre lasse, il finit par dessiner une boite avec des trous et annonce au jeune garçon : «Le mouton que tu veux est dedans» (p. 14). Cela convient à ce dernier qui, heureux cette fois, observe que le mouton s'est endormi.

## Chapitres III-VIII

**Au fil des jours, le narrateur apprend à connaitre le petit prince.** Il apprend qu'il vient de l'astéroïde B612, planète si petite qu'elle serait à peine plus grande qu'une maison. La vie du petit prince y était faite d'activités quotidiennes comme ramoner ses trois petits volcans ou tailler les baobabs, véritables mauvaises herbes qui représentent une menace pour la planète lorsqu'on les laisse atteindre leur taille adulte.

Le petit prince aimait contempler les couchers de soleil : l'astéroïde était si petit que se déplacer de quelques mètres suffisait à voir un nouveau crépuscule – le garçon déclare ainsi avoir un jour vu quarante-trois couchers de soleil.

Le petit prince raconte enfin **l'histoire de sa rose**. Un jour, il a assisté à la naissance d'une rose aussi belle qu'exigeante. Le petit prince en était tombé amoureux, mais les caprices incessants de la coquette fleur avaient fini par avoir raison de sa patience.

## Chapitres IX-XV

Le petit prince avait alors décidé de quitter sa rose et son astéroïde pour **explorer les planètes**. En chemin, **il a rencontré une série de personnages hauts en couleurs** : le roi autoproclamé régnant sur un royaume illusoire, le vaniteux, l'alcoolique, le businessman obnubilé par le comptage des étoiles qu'il s'est appropriées, l'allumeur de réverbère, dont la planète est si petite qu'il doit travailler continument, et, enfin le géographe, homme de livres se refusant à explorer lui-même le monde. Le petit prince a été frappé par l'absurdité des préoccupations de ces personnages et par leur solitude.

## Chapitres XVI-XXIII

**Le petit prince est ensuite arrivé sur Terre**, où il a retrouvé en plus grand nombre les mêmes personnes que celles rencontrées pendant son voyage. Il y a fait la connaissance d'un serpent s'exprimant par énigmes, puis d'une « petite fleur de rien du tout », il a découvert l'écho des montagnes et, enfin, est arrivé au beau milieu d'un jardin de roses, où il s'est aperçu avec tristesse que la sienne n'était en rien unique.

Un jour, **il a rencontré un renard** qui souhaitait de tout son cœur que le petit prince l'**apprivoise**. Le renard lui a expliqué ce que ce mot signifiait (« créer des liens », p. 67) et s'est lié avec lui. Cela a été pour le petit prince l'occasion de comprendre le sens véritable de l'amitié. Il l'a quitté avec tristesse.

Les dernières rencontres du prince ont été celles de l'aiguilleur, qui triait des trains surpeuplés, et du marchand, qui vendait des pilules permettant de ne plus boire. Il est alors retourné vers le désert, où il a rencontré le narrateur.

## Chapitres XXIV-XXVII

Huit jours se sont écoulés depuis la rencontre du narrateur et du petit prince et le manque d'eau devient inquiétant. Le prince emmène le narrateur à un **puits**, symbole de la source inépuisable et du trésor enfoui en chaque chose et en chaque personne (« ce qui embellit le désert, [...] c'est qu'il cache un puits quelque part », p. 78).

Mais l'heure de la séparation arrive. Le narrateur parvient à réparer son avion et le petit prince se fait mordre par le serpent afin de se libérer de son corps et de regagner sa planète, où il pourra s'occuper à nouveau de sa rose. Le conte s'achève par l'évocation émouvante des souvenirs du narrateur (« rien de l'univers n'est semblable si quelque part, on ne sait où, un mouton que nous ne connaissons pas a, oui ou non, mangé une rose... », p. 93).

# 2. ÉTUDE DES PERSONNAGES

## Le petit prince

Chevelure blonde, écharpe éternellement dans le vent et rire cristallin, le petit prince est un enfant mystérieux, qui vient d'une planète lointaine. Sensible et curieux, il ne renonce jamais à une question et cherche à explorer l'univers et à comprendre le sens du monde et de la vie. C'est **l'incarnation de l'innocence et de la pureté de l'enfance** : son origine vague et son apparence céleste permettent d'en faire une image de l'enfant en général.

Plusieurs modèles ont servi Saint-Exupéry dans la construction du personnage. Sa personnalité aurait été directement inspirée d'enfants de ses amis. La gestation du personnage a en tout cas été assez lente (une des premières esquisses apparait dès 1940, dans une lettre adressée à son ami Léon Werth, à qui le conte est d'ailleurs dédicacé) et l'idée de son apparition au milieu du désert doit beaucoup à un accident vécu par Saint-Exupéry en Libye, lorsqu'il avait été sauvé par une caravane de nomades (une aide « tombée du ciel », dira-t-il).

Même si la quête du petit prince n'est jamais bien définie, on y retrouve les **enjeux majeurs de l'existence pour un enfant** : l'amour, l'amitié, le sens de la vie, l'attachement, la mort, etc. Sa parole, qui semble naïve, s'avère ainsi bien souvent profonde.

## Le narrateur

Le récit donne très peu d'indications sur le personnage du narrateur, si ce n'est que c'est un aviateur échoué dans le désert et qu'il a été un enfant plein d'imagination avant de devoir choisir une carrière plus sérieuse. Il est le confident du petit prince et l'intermédiaire entre l'histoire de ce dernier et le lecteur. Après avoir écouté l'histoire du prince sur les enseignements qu'il a reçus du renard, le narrateur lui-même apprend des leçons de l'animal sur ce qui rend les choses importantes, notamment lorsqu'il cherche de l'eau dans le désert. Sa recherche du puits indique que les leçons doivent être apprises à travers l'exploration personnelle et pas seulement par les livres ou les enseignements d'autres personnes.

**On devine facilement Saint-Exupéry lui-même derrière le personnage du narrateur** : sa profession d'aviateur, ses rêves d'enfant et le crash dans le désert sont autant d'éléments tirés de sa vie réelle. Ces éléments donnent au récit un **statut ambigu, mélange de réel et de merveilleux.** Il y a là la volonté d'indiquer que le conte ne doit pas être perçu comme une simple histoire pour enfants, mais qu'il est **porteur de sens.**

## La rose

Bien que la rose n'apparaisse que dans deux ou trois chapitres, elle joue un **rôle crucial** au sein du roman dans son ensemble car sa nature fière et mélodramatique est la cause du départ du prince. De même, c'est son souvenir qui le pousse à repartir vers sa planète.

La **charge symbolique de ce personnage est particulièrement forte**. La rose peut être vue comme une incarnation de différentes facettes de l'amour :

- Sur la planète du petit prince, elle s'oppose aux baobabs pour représenter la fragilité et la richesse de l'amour.

- Son comportement, lorsqu'elle cherche à gagner l'amour du prince en prétextant des besoins plus ou moins imaginaires pour obtenir une attention constante, peut rappeler celui d'une femme.

- La relation qui unit le prince et la rose est à l'image des relations amoureuses : les erreurs commises par chacun des deux personnages – la trop grande importance attachée aux tracasseries quotidiennes, l'incapacité à s'apercevoir et à profiter du bonheur que l'on a – renvoient à des erreurs réelles. Le voyage du prince (et singulièrement sa rencontre avec le renard) permettra d'y trouver une ébauche de solution.

Par ailleurs, la rose pourrait également être un **personnage à clé** (un personnage derrière lequel se cache une personne réelle) : elle renverrait à Louise Lévêque de Vilmorin, fille de bonne famille avec qui Saint-Exupéry avait eu une liaison avant d'embrasser définitivement la carrière de pilote. Sommé par sa famille de choisir entre le mariage et l'aviation, Saint-Exupéry avait finalement opté pour l'aviation, non sans tristesse.

## Le renard

Le renard apparait assez soudainement alors que le petit prince est sous le choc après avoir découvert la banalité de sa rose. Rapidement et au-delà de l'amitié qui surgit entre eux deux, on comprend que l'instruction est un but pour le renard. Il fait comprendre au petit prince à quel point sa rose est importante pour lui. Leur rencontre incarne un idéal de l'amitié car le renard fait preuve d'altruisme en encourageant le petit prince à agir dans son propre intérêt.

## Le serpent

Bien que le serpent rencontré dans le désert s'exprime par des énigmes, son langage demande moins d'interprétation que les autres figures symboliques du roman. Le comprendre, finalement, ne nécessite pas de répondre, voire même pas de poser des questions. Il est celui qui maitrise les mystères de la vie. Sa morsure vénéneuse est d'ailleurs une allusion biblique et indique qu'il représente une mort inévitable.

# 3. CLÉS DE LECTURE

## Une œuvre symbolique

Derrière l'apparence faussement naïve du conte pour enfants, apparence renforcée par l'écriture dépouillée et les aquarelles très simples qui illustrent l'œuvre, **la portée symbolique du Petit Prince est considérable.**

Tout comme il enseigne que l'essentiel est invisible aux yeux et doit être perçu par le cœur (depuis le boa qui digère un éléphant au puits caché dans le désert en passant par le mouton caché dans la boite), le conte lui-même se donne à lire comme une énigme, un symbole, une boite ou un boa à l'intérieur duquel sont enfouies des vérités précieuses. Quelques-uns des éléments du conte sont particulièrement riches à cet égard, notamment :

•   Le **voyage du petit prince** comme **parcours initiatique** (voir ci-dessous), découverte par l'enfant du monde des adultes.

•   Les personnages du **serpent** et du **renard**, que la culture occidentale représente d'habitude de manière négative et que l'on invite ici à regarder autrement (le serpent, et la mort qu'il apporte, comme une délivrance ; le renard comme un ami fidèle, que l'on apprend à apprivoiser en même temps que l'on apprivoise l'amitié elle-même).

•   La **relation avec la rose**, image de l'amour, symbole de fragilité, personnage à clé (voir plus haut).

•   **Le petit prince** lui-même, incarnation de l'innocence, de la naïveté et de la poésie enfantines, image de l'enfance en général, qui se rappelle au bon souvenir du narrateur.

•   D'autres éléments, comme les **différents personnages** rencontrés durant le voyage du petit prince, qui sont une critique du monde moderne (voir ci-dessous) ou, de façon moins évidente, **l'aridité du désert**, lieu de solitude mais aussi d'enrichissement et de retour sur soi, ainsi que **le puits**, image du trésor enfoui en chaque chose et chaque personne.

La valeur du *Petit Prince* – et l'une des explications possibles de son si large succès – tient en tout cas au fait qu'**aucune interprétation ne peut parvenir à épuiser totalement la richesse de l'œuvre**, dans laquelle chacun pourra faire de nouvelles découvertes.

## Un voyage initiatique

Le voyage du petit prince peut se lire comme un **parcours initiatique**, parcours au cours duquel l'enfant doit **s'arracher au confort et à la sécurité** de sa maison, de sa famille, pour se confronter au monde des adultes, au monde réel, qu'il doit explorer pour grandir par lui-même avant de pouvoir retourner à ses racines. Lors de ce parcours, il doit apprendre à **gérer les questions essentielles auxquelles tout enfant est confronté : l'amour, l'amitié, le sens de la vie, la mort, etc.**

La découverte du monde adulte se déroule d'ailleurs parfois de manière douloureuse : face à des comportements, des règles qu'il ne comprend pas et qu'il perçoit comme absurdes, le petit prince n'obtient que des réponses insatisfaisantes ou dédaigneuses ; d'une certaine façon, le monde adulte se refuse à lui et le rejette. Il y a là un parallélisme évident avec la manière dont l'enfant perçoit les réponses que les adultes font à ses nombreuses questions.

La particularité du voyage initiatique du petit prince est que non seulement il permet à l'enfant de grandir, mais il permet aussi à l'adulte de s'enrichir. Ainsi, la rencontre du petit prince permet au narrateur, paradoxalement, de régresser à son état d'enfance pour progresser vers une meilleure compréhension de la beauté de la vie et du monde.

## Une critique du monde moderne

L'opposition entre monde de l'enfance et monde des adultes traverse l'entièreté du Petit Prince. Cette opposition est l'occasion, pour Saint-Exupéry, de **critiquer** les valeurs des adultes auxquelles se confondent les valeurs du monde moderne.

Tous les personnages rencontrés par le petit prince au cours de son voyage, décrits de manière caricaturale, illustrent des **travers de la modernité** :

- Le **matérialisme**, qui amène à considérer que seuls comptent les **chiffres** (le businessman, le géographe, les descriptions au début du livre), le **pouvoir** (le roi, le vaniteux) et les **apparences** (l'anecdote de l'astronome turc).

- La **course effrénée au gain de temps**, dans les rencontres avec l'aiguilleur ou le marchand de pilules contre la soif.

- **L'absurdité** des comportements du buveur alcoolique ou de l'allumeur de réverbère.

- Etc.

Face à cela, Saint-Exupéry propose un **idéalisme** farouche, teinté d'optimisme et de rêverie. *Le Petit Prince* est ainsi un plaidoyer en faveur d'une **vision poétique et généreuse** du monde.

# 4. PISTES DE RÉFLEXION

## Quelques questions pour approfondir sa réflexion...

- En quoi la quête du petit prince symbolise-t-elle celle de tous les enfants ?

- Qu'est-ce qui fait de ce texte un conte ?

- Qu'est-ce qui donne au petit prince une apparence de « merveilleux » ?

- La rose est, depuis toujours, une fleur extrêmement symbolique. Quels symboles Saint-Exupéry lui associe-t-il dans *Le Petit Prince* ?

- Quel est le rôle du renard ?

- Ce conte enseigne que l'essentiel est invisible aux yeux et doit être perçu par le cœur. Concrètement, comment Saint-Exupéry illustre-t-il cela ?

- Pourquoi, à votre avis, l'auteur a-t-il situé son histoire dans le désert ?

- En quoi le voyage du petit prince constitue-t-il un parcours initiatique ? Connaissez-vous d'autres œuvres qui évoquent pareil parcours ?

- Peut-on dire que le narrateur réalise lui aussi, en quelque sorte, un parcours initiatique ? Justifiez votre avis.

- Contre quoi Saint-Exupéry tourne-t-il sa critique ?

- À votre avis, qu'est-ce qui a fait le succès de cette œuvre, tant chez les adultes que chez les enfants ?

# 5. INFORMATIONS COMPLÉMENTAIRES

## Édition de référence

- *Le Petit Prince*, Paris, Gallimard (coll. « Folio), 1999, 97 p.

## Étude de référence

- E. Deschodt, *Saint-Exupéry*, éd. Jean-Claude Lattès, 1980.

## Adaptations

- En bande dessinée : *Le Petit Prince* de Joann Sfar, Gallimard BD (coll. « Fétiche »), 2008.

- Adaptation cinématographique : *The Little Prince* de Stanley Donen (1974), avec Richard Kiley (le Pilote), Steven Warmer (le petit prince).

LePetitLittéraire.fr, une collection en ligne d'analyses littéraires de référence :

- des fiches de lecture, des questionnaires de lecture et des commentaires composés
- sur plus de 500 œuvres classiques et contemporaines
- ... le tout dans un langage clair et accessible !

## Connectez-vous sur lePetitlittéraire.fr et téléchargez nos documents en quelques clics :

Adamek, *Le fusil à pétales*
Alibaba et les 40 voleurs
Amado, *Cacao*
Ancion, *Quatrième étage*
Andersen, *La petite sirène et autres contes*
Anouilh, *Antigone*
Anouilh, *Le Bal des voleurs*
Aragon, *Aurélien*
Aragon, *Le Paysan de Paris*
Aragon, *Le Roman inachevé*
Aurevilly, *Le chevalier des Touches*
Aurevilly, *Les Diaboliques*
Austen, *Orgueil et préjugés*
Austen, *Raison et sentiments*
Auster, *Brooklyn Folies*
Aymé, *Le Passe-Muraille*
Balzac, *Ferragus*
Balzac, *La Cousine Bette*
Balzac, *La Duchesse de Langeais*
Balzac, *La Femme de trente ans*
Balzac, *La Fille aux yeux d'or*
Balzac, *Le Bal des sceaux*
Balzac, *Le Chef-d'oeuvre inconnu*
Balzac, *Le Colonel Chabert*
Balzac, *Le Père Goriot*
Balzac, *L'Elixir de longue vie*
Balzac, *Les Chouans*
Balzac, *Les Illusions perdues*
Balzac, *Sarrasine*
Balzac, *Eugénie Grandet*
Balzac, *La Peau de chagrin*
Balzac, *Le Lys dans la vallée*
Barbery, *L'Elégance du hérisson*
Barbusse, *Le feu*
Baricco, *Soie*
Barjavel, *La Nuit des temps*
Barjavel, *Ravage*
Bauby, *Le scaphandre et le papillon*
Bauchau, *Antigone*
Bazin, *Vipère au poing*
Beaumarchais, *Le Barbier de Séville*
Beaumarchais, *Le Mariage de Figaro*
Beauvoir, *Le Deuxième sexe*
Beauvoir, *Mémoires d'une jeune fille rangée*
Beckett, *En attendant Godot*
Beckett, *Fin de partie*
Beigbeder, *Un roman français*
Benacquista, *La boîte noire et autres nouvelles*
Benacquista, *Malavita*
Bourdouxhe, *La femme de Gilles*
Bradbury, *Fahrenheit 451*
Breton, *L'Amour fou*
Breton, *Le Manifeste du Surréalisme*
Breton, *Nadja*
Brink, *Une saison blanche et sèche*

Brisville, *Le Souper*
Brönte, *Jane Eyre*
Brönte, *Les Hauts de Hurlevent*
Brown, *Da Vinci Code*
Buzzati, *Le chien qui a vu Dieu et autres nouvelles*
Buzzati, *Le veston ensorcelé*
Calvino, *Le Vicomte pourfendu*
Camus, *La Chute*
Camus, *Le Mythe de Sisyphe*
Camus, *Le Premier homme*
Camus, *Les Justes*
Camus, *L'Etranger*
Camus, *Caligula*
Camus, *La Peste*
Carrère, *D'autres vies que la mienne*
Carrère, *Le retour de Martin Guerre*
Carrière, *La controverse de Valladolid*
Carrol, *Alice au pays des merveilles*
Cassabois, *Le Récit de Gildamesh*
Céline, *Mort à crédit*
Céline, *Voyage au bout de la nuit*
Cendrars, *J'ai saigné*
Cendrars, *L'Or*
Cervantès, *Don Quichotte*
Césaire, *Les Armes miraculeuses*
Chanson de Roland
Char, *Feuillets d'Hypnos*
Chateaubriand, *Atala*
Chateaubriand, *Mémoires d'Outre-Tombe*
Chateaubriand, *René 25*
Chateaureynaud, *Le verger et autres nouvelles*
Chevalier, *La dame à la licorne*
Chevalier, *La jeune fille à la perle*
Chraïbi, *La Civilisation, ma Mère!...*
Chrétien de Troyes, *Lancelot ou le Chevalier de la Charrette*
Chrétien de Troyes, *Perceval ou le Roman du Graal*
Chrétien de Troyes, *Yvain ou le Chevalier au Lion*
Chrétien de Troyes, *Erec et Enide*
Christie, *Dix petits nègres*
Christie, *Nouvelles policières*
Claudel, *La petite fille de Monsieur Lihn*
Claudel, *Le rapport de Brodeck*
Claudel, *Les âmes grises*
Cocteau, *La Machine infernale*
Coelho, *L'Alchimiste*
Cohen, *Le Livre de ma mère*
Colette, *Dialogues de bêtes*
Conrad, *L'hôte secret*
Conroy, *Corps et âme*
Constant, *Adolphe*
Corneille, *Cinna*

Corneille, *Horace*
Corneille, *Le Menteur*
Corneille, *Le Cid*
Corneille, *L'Illusion comique*
Courteline, *Comédies*
Daeninckx, *Cannibale*
Dai Sijie, *Balzac et la Petite Tailleuse chinoise*
Dante, *L'Enfer*
Daudet, *Les Lettres de mon moulin*
De Gaulle, *Mémoires de guerre III. Le Salut. 1944-1946*
De Lery, *Voyage en terre de Brésil*
De Vigan, *No et moi*
Defoe, *Robinson Crusoé*
Del Castillo, *Tanguy*
Deutsch, *Les garçons*
Dickens, *Oliver Twist*
Diderot, *Jacques le fataliste*
Diderot, *Le Neveu de Rameau*
Diderot, *Paradoxe sur le comédien*
Diderot, *Supplément au voyage de Bougainville*
Dorgelès, *Les croix de bois*
Dostoïevski, *Crime et châtiment*
Dostoïevski, *L'Idiot*
Doyle, *Le Chien des Baskerville*
Doyle, *Le ruban moucheté*
Doyle, *Scandales en bohème et autres contes*
Dugain, *La chambre des officiers*
Dumas, *Le Comte de Monte Cristo*
Dumas, *Les Trois Mousquetaires*
Dumas, *Pauline*
Duras, *Le Ravissement de Lol V. Stein*
Duras, *L'Amant*
Duras, *Un barrage contre le Pacifique*
Eco, *Le Nom de la rose*
Enard, *Parlez-leur de batailles, de rois et d'éléphants*
Ernaux, *La Place*
Ernaux, *Une femme*
Fabliaux du Moyen Age
Farce de Maitre Pathelin
Faulkner, *Le bruit et la fureur*
Feydeau, *Feu la mère de Madame*
Feydeau, *On purge bébé*
Feydeau, *Par la fenêtre et autres pièces*
Fine, *Journal d'un chat assassin*
Flaubert, *Bouvard et Pecuchet*
Flaubert, *Madame Bovary*
Flaubert, *L'Education sentimentale*
Flaubert, *Salammbô*
Follett, *Les piliers de la terre*
Fournier, *Où on va papa?*
Fournier, *Le Grand Meaulnes*

Pagnol, *Le château de ma mère*
Pagnol, *La gloire de mon père*
Pancol, *La valse lente des tortues*
Pancol, *Les écureuils de Central Park sont tristes le lundi*
Pancol, *Les yeux jaunes des crocodiles*
Pascal, *Pensées*
Péju, *La petite chartreuse*
Pennac, *Cabot-Caboche*
Pennac, *Au bonheur des ogres*
Pennac, *Chagrin d'école*
Pennac, *Kamo*
Pennac, *La fée carabine*
Perec, *W ou le souvenir d'Enfance*
Pergaud, *La guerre des boutons*
Perrault, *Contes*
Petit, *Fils de guerre*
Poe, *Double Assassinat dans la rue Morgue*
Poe, *La Chute de la maison Usher*
Poe, *La Lettre volée*
Poe, *Le chat noir et autres contes*
Poe, *Le scarabée d'or*
Poe, *Manuscrit trouvé dans une bouteille*
Polo, *Le Livre des merveilles*
Prévost, *Manon Lescaut*
Proust, *Du côté de chez Swann*
Proust, *Le Temps retrouvé*
Queffélec, *Les Noces barbares*
Queneau, *Les Fleurs bleues*
Queneau, *Pierrot mon ami*
Queneau, *Zazie dans le métro*
Quignard, *Tous les matins du monde*
Quint, *Effroyables jardins*
Rabelais, *Gargantua*
Rabelais, *Pantagruel*
Racine, *Andromaque*
Racine, *Bajazet*
Racine, *Bérénice*
Racine, *Britannicus*
Racine, *Iphigénie*
Racine, *Phèdre*
Radiguet, *Le diable au corps*
Rahimi, *Syngué sabour*
Ray, *Malpertuis*
Remarque, *A l'Ouest, rien de nouveau*
Renard, *Poil de carotte*
Reza, *Art*
Richter, *Mon ami Frédéric*
Rilke, *Lettres à un jeune poète*
Rodenbach, *Bruges-la-Morte*
Romains, *Knock*
*Roman de Renart*
Rostand, *Cyrano de Bergerac*
Rotrou, *Le Véritable Saint Genest*
Rousseau, *Du Contrat social*
Rousseau, *Emile ou de l'Education*
Rousseau, *Les Confessions*
Rousseau, *Les Rêveries du promeneur solitaire*
Rowling, *Harry Potter–La saga*
Rowling, *Harry Potter à l'école des sorciers*
Rowling, *Harry Potter et la Chambre des Secrets*
Rowling, *Harry Potter et la coupe de feu*
Rowling, *Harry Potter et le prisonnier d'Azkaban*
Rufin, *Rouge brésil*

Saint-Exupéry, *Le Petit Prince*
Saint-Exupéry, *Vol de nuit*
Saint-Simon, *Mémoires*
Salinger, *L'attrape-cœurs*
Sand, *Indiana*
Sand, *La Mare au diable*
Sarraute, *Enfance*
Sarraute, *Les Fruits d'Or*
Sartre, *La Nausée*
Sartre, *Les mains sales*
Sartre, *Les mouches*
Sartre, *Huis clos*
Sartre, *Les Mots*
Sartre, *L'existentialisme est un humanisme*
Sartre, *Qu'est-ce que la littérature?*
*Schéhérazade et Aladin*
Schlink, *Le Liseur*
Schmitt, *Odette Toutlemonde*
Schmitt, *Oscar et la dame rose*
Schmitt, *La Part de l'autre*
Schmitt, *Monsieur Ibrahim et les fleurs du Coran*
Semprun, *Le mort qu'il faut*
Semprun, *L'Ecriture ou la vie*
Sépulvéda, *Le Vieux qui lisait des romans d'amour*
Shaffer et Barrows, *Le Cercle littéraire des amateurs d'épluchures de patates*
Shakespeare, *Hamlet*
Shakespeare, *Le Songe d'une nuit d'été*
Shakespeare, *Macbeth*
Shakespeare, *Romeo et Juliette*
Shan Sa, *La Joueuse de go*
Shelley, *Frankenstein*
Simenon, *Le bourgmestre de Furne*
Simenon, *Le chien jaune*
*Sinbad le marin*
Sophocle, *Antigone*
Sophocle, *Œdipe Roi*
Steeman, *L'Assassin habite au 21*
Steinbeck, *La perle*
Steinbeck, *Les raisins de la colère*
Steinbeck, *Des souris et des hommes*
Stendhal, *Les Cenci*
Stendhal, *Vanina Vanini*
Stendhal, *La Chartreuse de Parme*
Stendhal, *Le Rouge et le Noir*
Stevenson, *L'Etrange cas du Docteur Jekyll et de M. Hyde*
Stevenson, *L'Île au trésor*
Süskind, *Le Parfum*
Szpilman , *Le Pianiste*
Taylor, *Inconnu à cette adresse*
Tirtiaux, *Le passeur de lumière*
Tolstoï, *Anna Karénine*
Tolstoï, *La Guerre et la paix*
Tournier, *Vendredi ou la vie sauvage*
Tournier, *Vendredi ou les limbes du pacifique*
Toussaint, *Fuir*
*Tristan et Iseult*
Troyat, *Aliocha*
Uhlman, *L'Ami retrouvé*
Ungerer, *Otto*
Vallès, *L'Enfant*
Vargas, *Dans les bois éternels*
Vargas, *Pars vite et reviens tard*
Vargas, *Un lieu incertain*

Verne, *Deux ans de vacances*
Verne, *Le Château des Carpathes*
Verne, *Le Tour du monde en 80 jours*
Verne, *Madame Zacharius, Aventures de la famille Raton*
Verne, *Michel Strogoff*
Verne, *Un hivernage dans les glaces*
Verne, *Voyage au centre de la terre*
Vian, *L'écume des jours*
Vigny, *Chatterton*
Virgile, *L'Enéide*
Voltaire, *Jeannot et Colin*
Voltaire, *Le monde comme il va*
Voltaire, *L'Ingénu*
Voltaire, *Zadig*
Voltaire, *Candide*
Voltaire, *Micromégas*
Wells, *La guerre des mondes*
Werber, *Les Fourmis*
Wilde, *Le Fantôme de Canterville*
Wilde, *Le Portrait de Dorian Gray*
Woolf, *Mrs Dalloway*
Yourcenar, *Comment Wang-Fô fut sauvé*
Yourcenar, *Mémoires d'Hadrien*
Zafón, *L'Ombre du vent*
Zola, *Au Bonheur des Dames*
Zola, *Germinal*
Zola, *Jacques Damour*
Zola, *La Bête Humaine*
Zola, *La Fortune des Rougon*
Zola, *La mort d'Olivier Bécaille et autres nouvelles*
Zola, *L'attaque du moulin et autres nouvelles*
Zola, *Madame Sourdis et autres nouvelles*
Zola, *Nana*
Zola, *Thérèse Raquin*
Zola, *La Curée*
Zola, *L'Assommoir*
Zweig, *La Confusion des sentiments*
Zweig, *Le Joueur d'échecs*

# NOTES

Printed in Germany
by Amazon Distribution
GmbH, Leipzig